Agathe
et la
Campagne

Texte de
Valérie Galarneau

Illustrations de
Isabelle Malenfant

LES ÉDITIONS DE LA
BAGNOLE
Une société de Québecor Média
leseditionsdelabagnole.com

Agathe vit à la campagne.
Agathe adore ça la campagne...
le matin, le midi, le soir et même la nuit !

De la campagne, elle aime les sons.
La berceuse des grillons,
La fanfare des ouaouarons,
Et le clairon des cochons !

Gourmande, Agathe se régale des œufs à la coque
dont elle brise la coquille.
Elle se délecte des carottes qu'elle déterre elle-même
et qui ravissent ses papilles.

Elle aime l'odeur croquante des pommes bien rouges,
L'odeur piquante des pommes de pin.

Et même celle (hum, hum) des pommes de route !

Un jour, une brise nouvelle chatouille les feuilles,
Un vent de changement souffle dans les champs.

– Mon petit écureuil ébouriffé, nous allons déménager !
déclare son papa.

– Où hou !!? hulule Agathe qui n'en croit pas ses oreilles.

– Sitôt l'été terminé, nous établirons nos quartiers
dans une tour de béton armé de douze appartements,
précise maman.

Agathe reste bouche bée,
Elle est dévastée.

Elle ne veut pas déménager !

Quand son papa veut lui parler de la cité,
Comme le bœuf, elle tape du pied.

Ainsi passe la chaude saison,
Sans qu'Agathe se fasse une raison.

Chaque jour elle regarde s'accumuler les paquets, les valises et les cartons,
Et lentement se vider toutes les armoires de la maison.

Pourtant, un certain petit matin, devant les boîtes empilées jusqu'au plafond,
Voilà que germe en Agathe une brillante solution !

Avec sur sa tête sa casquette et sur son épaule son filet à papillon,
La voici prête à l'action !

Le lundi, elle cueille du bord de la rivière, les plus belles pierres.

Et le mardi, un triton trottine jusqu'à son baluchon.

Le mercredi, elle adopte une portée de joyeux canetons.

Et le jeudi, elle courtise une reine abeille et toutes ses guerrières.

Le vendredi, une grenouille verte la rejoint d'un bond.

Et le samedi, elle charme un renard qui déserte sa tanière.

Le dimanche, elle capture une grande bouffée d'air,

La met dans un joli flacon et ferme consciencieusement le bouchon.

Les déménageurs sont surpris quand arrive le jour du départ.
Jamais ils n'ont vu de paquets aussi bizarres.

Les uns font : « Meuh ! »
Les autres laissent dépasser tantôt des oreilles, tantôt une queue.
Tandis que les plus petits se déplacent à la queue leu leu.

Le nouveau logis d'Agathe se retrouve joyeusement envahi,
Au grand plaisir des voisins qui sont aussitôt conquis.

Agathe explore tous les recoins de son quartier,
Avec une campagnarde délégation sans cesse sur ses talons.

Tant et si bien qu'au Ministère, on doit ajouter « Traverses de
poules-lapins-agneaux » aux panneaux de signalisation.

Quand la cloche de l'école sonne la rentrée,
Agathe arrive en classe «discrètement» accompagnée.

Il s'écoule peu de temps avant que les autres élèves ne voient
Qu'il y a chez la nouvelle un petit je ne sais quoi.

Est-ce le «Sssssss» que fait la ceinture qui retient son pantalon?

Ou les «Hi! Hi! Hi!» que laisse entendre son velu taille-crayon?

Aussi, lorsqu'elle joue dans la cour de récréation,
Elle laisse un parfum de prune, de poire ou de pomme dans son sillon.

Et quand elle rentre et enlève son chapeau,
On trouve parfois sur sa tête un ou deux cocos.

Chez les enfants voilà qu'il y a contagion,
Car dans les corridors résonnent maintenant de nouveaux sons.

«Crouac!», «Wouf!», «Miaou!» côtoient les rires et les leçons.

Tandis que la campagne prend le pas sur le béton.

Une brise nouvelle chatouille les feuilles des cahiers de cette école de quartier.

Un vent de changement souffle dans les rangs de ses enfants.
Agathe et ses amis laissent pousser herbes et fougères sous leurs pieds,
Pendant que capucines et lierres recouvrent les pupitres et les bancs.

Il n'y a plus de différence entre le dehors et le dedans.

À Jasmine ma sœur, Zoé ma nièce et Jeanne ma fille qui furent mes inspirations pour ce personnage à la créativité débordante.
Dignes et fières folles dingo de la famille, je vous salue!
À mon grand-père Marcel Galarneau, qui a su me transmettre l'amour de la nature.
V. G.

Pour ma tante Lise et tous ses élèves de l'école Sainte-Lucie à Val-d'Or.
I. M.

Catalogage avant publication de Bibliothèque et Archives nationales du Québec et Bibliothèque et Archives Canada

Galarneau, Valérie, 1974-
Agathe et la campagne
Pour enfants de 4 ans et plus.
ISBN 978-2-89714-054-0
I. Malenfant, Isabelle, 1979-   . II. Titre.

PS8613.A459A32 2014   jC843'.6   C2013-942276-5
PS9613.A459A32 2014

GROUPE VILLE-MARIE LITTÉRATURE
VICE-PRÉSIDENT À L'ÉDITION
Martin Balthazar

ÉDITIONS DE LA BAGNOLE
ÉDITRICE ET DIRECTRICE LITTÉRAIRE
Jennifer Tremblay

INFOGRAPHIE
Anne Sol

DISTRIBUTION EN AMÉRIQUE DU NORD
Canada et États-Unis :
Messageries ADP*
2315, rue de la Province
Longueuil (Québec) J4G 1G4
Pour les commandes : 450 640-1237
messageries-adp.com
*Filiale du Groupe Sogides inc. ;
filiale de Québecor Média inc.

DISTRIBUTION EN EUROPE
France :
INTERFORUM EDITIS
Immeuble Paryseine
3, Allée de la Seine
94854 Ivry-sur-Seine Cedex
Pour les commandes : 02.38.32.71.00
interforum.fr

Belgique :
INTERFORUM BENELUX SA
Fond Jean-Pâques, 6
1348 Louvain-La-Neuve
Pour les commandes : 010.420.310
interforum.be

Suisse :
INTERFORUM SUISSE
Route A.-Piller, 33 A
CP 1574
1701 Fribourg
Pour les commandes : 026.467.54.66
interforumsuisse.ch

LES ÉDITIONS DE LA BAGNOLE
Groupe Ville-Marie Littérature inc.
Une société de Québecor Média
1010, rue De La Gauchetière Est
Montréal (Québec) H2L 2N5
Tél. : 514 523-1182
Téléc. : 514 282-7530
info@leseditionsdelabagnole.com
leseditionsdelabagnole.com

Nous reconnaissons l'aide financière du gouvernement du Canada par l'entremise du Fonds du livre du Canada (FLC) pour nos activités d'édition.

Nous remercions le Conseil des arts du Canada de l'aide accordée à notre programme de publication.

Les Éditions de la Bagnole bénéficient du soutien de la Société de développement des entreprises culturelles du Québec (SODEC) pour leur programme d'édition.

Gouvernement du Québec – Programme de crédit d'impôt pour l'édition de livres – Gestion SODEC

Merci à Michel Therrien pour sa précieuse collaboration

Imprimé en Chine